Parlons de
LA TAQUINERIE

Dépôt légal, 1er trimestre 1986
Bibliothèque nationale du Québec
ISBN 0-7172-2151-2

Parlons de

LA TAQUINERIE

Texte de JOY BERRY

Illustrations de John Costanza
Revu par Orly Kelly
Conçu par Jill Losson

Conseillers à la publication
Roger Aubin et Gaston Lavoie

Grolier Limitée
MONTRÉAL

Parlons de la TAQUINERIE.

Quand on t'agace ou qu'on se moque de toi sur le ton de la plaisanterie, on te TAQUINE.

Est-ce qu'on t'a déjà taquiné à propos de ton *apparence?*

Est-ce qu'on t'a déjà taquiné à propos de ce que tu *penses* ou bien à propos de ce que tu *ressens?*

Est-ce qu'on t'a déjà taquiné à propos de ce que tu *dis* ou de ce que tu *fais*?

Est-ce qu'on t'a déjà taquiné à propos de ce que tu *aimes* et de ce que tu *n'aimes pas*?

Chaque fois que l'on te taquine, tu te sens probablement frustré, gêné et humilié.

Quand quelqu'un te taquine, il se peut que tu sois contrarié et que tu te mettes en colère.

Souvent les personnes taquines prennent plaisir à frustrer et à embarrasser autrui.

Elles prennent plaisir à contrarier leur prochain.

Ainsi, tu fais plaisir à la personne qui te taquine quand tu te sens frustré ou contrarié par ses taquineries.

Si tu veux décourager quelqu'un qui te taquine, tu ne dois pas te sentir frustré. Tu ne dois pas manifester de l'embarras ou de la contrariété.

Pour cela, tu dois *feindre de ne pas entendre* la personne qui te taquine. Ne fais tout simplement pas attention à ce qu'elle dit.

Si tu as du mal à ignorer cette personne, *éloigne-toi* d'elle. Fuis sa compagnie tant qu'elle continue à te taquiner.

Il est important de traiter les autres de la façon dont tu voudrais être traité toi-même.

Si tu n'aimes pas être taquiné, tu ne dois pas taquiner les autres non plus.

Il ne faut pas parler de choses dont quelqu'un ne veut pas qu'on parle.

Tu ne dois pas non plus révéler les secrets que l'on te confie.

Il vaut mieux éviter de dire des choses embarrassantes sur quelqu'un en présence d'autres personnes.

Il vaut mieux éviter de dire des choses qui pourraient blesser les autres.

Un conseil:

Si tu ne peux pas dire quelque chose de gentil, mieux vaut ne rien dire du tout.

Si tu suis ce conseil, tu peux être sûr de ne jamais blesser personne.

On risque de blesser les autres quand on les taquine. Mieux vaut donc éviter de le faire.